Domitille de Pressensé

émilie
et le doudou

Mise en couleurs : Guimauv'

toc ! toc !

tiens, tiens...
qui frappe à la porte
ce soir ?

ah !
voilà les cousins !

ils viennent dormir
chez émilie
et stéphane.
leur papa
et leur maman
sortent ce soir.

alors, pendant
qu'ils se mettent
en pyjama...

on installe le grand
matelas, la couette
et les oreillers.

maintenant,
il faut se coucher.

émilie et stéphane
prennent leur ours.

alexandre,
son lutin.

nicolas,
son mouton.

et guillaume...

guillaume
n'a pas son doudou.
il l'a **oublié**
dans sa maison...

j'peux pas dormir
sans mon doudou !
dit guillaume.

je veux mon doudou !

et il se met à pleurer
très fort.

ne pleure pas !
je vais t'en donner
un autre,

dit la maman d'émilie.

ouin !

j'veux pas un doudou
comme ça !
il est trop grand...

non, arthur !
celui-là est trop petit...

tu trouveras

sûrement

un doudou

dans cette corbeille

de chiffons,

dit la maman d'émilie.

ça va pas.

ça sent pas bon.

c'est trop gros.

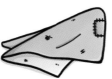

c'est abîmé.

c'est pas beau.

ça pique.

c'est déchiré.

c'est trop petit.

ça va pas du tout !

mon doudou, lui,
il est juste
comme il faut !

et si j'attachais
plusieurs chiffons
pour te faire
un **grand** doudou ?
dit la maman d'émilie.

ouin ! c'est pas pareil !

c'est pas mon vrai
doudou !

nous,
on veut se coucher.

on est fatigués par
ce bébé de guillaume.

alors,

tout le monde au lit.

et moi,

je vais coucher

guillaume !

dit le papa d'émilie.

oh ! chuuut...

il s'est endormi tout seul...
sans son doudou, sans rien.
ouf ! on peut aller dormir.

pff... n'importe quoi !

y a que les bébés
qui dorment
avec leur doudou.

oh! mon ours...
j'ai oublié mon ours!

ouf !

voilà mon ours !
merci arthur.

moi, je pourrais bien
dormir toute seule,

mais c'est mon ours
qui veut toujours
dormir avec moi !

Mise en page : Guimauv'
www.casterman.com
© Casterman 2011

ISBN 978-2-203-03813-4
Achever d'imprimer en juin 2011, en Italie
Dépôt légal : août 2011 ; D.2011/0053/379
Déposé au ministère de la Justice, Paris (loi n° 49.956 du 16 juillet 1949 sur les publications destinées à la jeunesse).